Hihi, Haha, Coin!

Mijade

Pour Andrew,
Doreen Cronin

Pour Rosanne Lauer,
Betsy Lewin

© Mijade 2004 (B-5000 Namur)pour l'édition française
Traduction de Laurence Bourguignon
Texte © 2002 Doreen Cronin.
Illustrations © 2002 Betsy Lewin
Titre original :
Giggle, Giggle, Quack
Simon & Schuster
(London)

D/2004/3712/11
ISBN 2-87142-404-7
Imprimé à Chine

Hihi, Haha, Coin!

Doreen Cronin   Betsy Lewin

Georges le fermier part en vacances.
C'est son frère Robert qui s'occupera
de la ferme jusqu'à son retour.

« Je t'ai tout écrit noir sur blanc.
Suis mes instructions et tout ira bien.
Mais tiens Canard à l'œil.
C'est un perturbateur. »

Georges le fermier s'éloigne
au volant de sa voiture.

Derrière lui, il lui semble que ça glousse
et que ça ricane. Mais il n'en est pas sûr.

Robert lance à Canard un regard appuyé.
Puis il rentre lire les instructions du jour.

Mardi soir :
soirée pizzas
(pas des surgelées !)
Les poules
préfèrent
les anchois.

Hihi ! Haha ! Clouc !

Vingt-neuf minutes plus tard,
les pizzas sont dans la grange.

Avant de monter se coucher,
Robert vient voir les animaux.
Tout va bien, effectivement.

Mercredi :
jour du bain des cochons.
Savonne-les avec mon bain
moussant et sèche-les
avec mes belles serviettes.
Ils ont la peau très sensible,
ne l'oublie pas.

Hihi ! Haha ! Groin !

Les cochons sont lavés
en un rien de temps.

Le mercredi soir, Georges le fermier
appelle pour prendre des nouvelles.
« As-tu nourri les animaux
comme je te l'ai demandé ? » dit-il.

« C'est fait », répond Robert
qui compte sept boîtes de pizzas vides.

« As-tu vu ma note au sujet des cochons ? »
« C'est en ordre aussi », dit Robert fièrement.
« Tiens bien Canard à l'œil, surtout ! »

Robert lance à Canard un regard appuyé.
Celui-ci est très occupé à tailler son crayon
et ne s'aperçoit de rien.

« Garde-le à l'intérieur, si tu peux »,
dit Georges. « Il a une mauvaise
influence sur les vaches. »

Hihi ! Haha ! Meuh, Groin et Coin !

Jeudi soir :
soirée cinéma.
C'est au tour
des vaches
de choisir
le film.

Hihi ! Haha ! Meuh !

Robert file dans la cuisine préparer
du pop-corn. Les animaux s'installent
devant la télévision quand soudain,
le téléphone sonne.

C'est Georges
le fermier
au bout du fil.

Haha !
entend-il.
Hihi, Coin,
Meuh, Groin !

CANARD!

hurle-t-il.